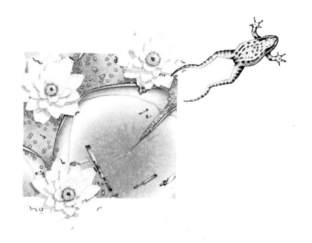

L'édition originale de cet ouvrage
a été publiée à Londres
par Methuen Children's Books
et Walker Books
sous le titre *The frog.*

Pour l'édition française :
© 1981 Albin Michel Jeunesse, Paris
ISBN : 2 226 01208 7
7037
44 3898 2
Loi du 16 juillet 1949
sur les publications destinées à la jeunesse.
Dépôt 4e trimestre 1981
Imprimé en Italie

LA GRENOUILLE

Margaret Lane

Illustré par Grahame Corbett
Texte français de Claude Lauriot Prévost

Albin Michel Jeunesse

Si tu étais une grenouille, ta première vision du monde passerait au travers d'un film gélatineux. Les œufs de grenouille sont pondus dans des mares ou des étangs, en amas flottant parmi les algues. Le petit point noir, au centre de chaque œuf, grossit jusqu'à ce qu'il atteigne la taille d'une groseille; il est pourvu d'une courte queue. Le têtard possède une bouche aux lèvres cornées et des dents aiguisées. Des centaines d'individus éclosent et se mettent à nager en même temps.

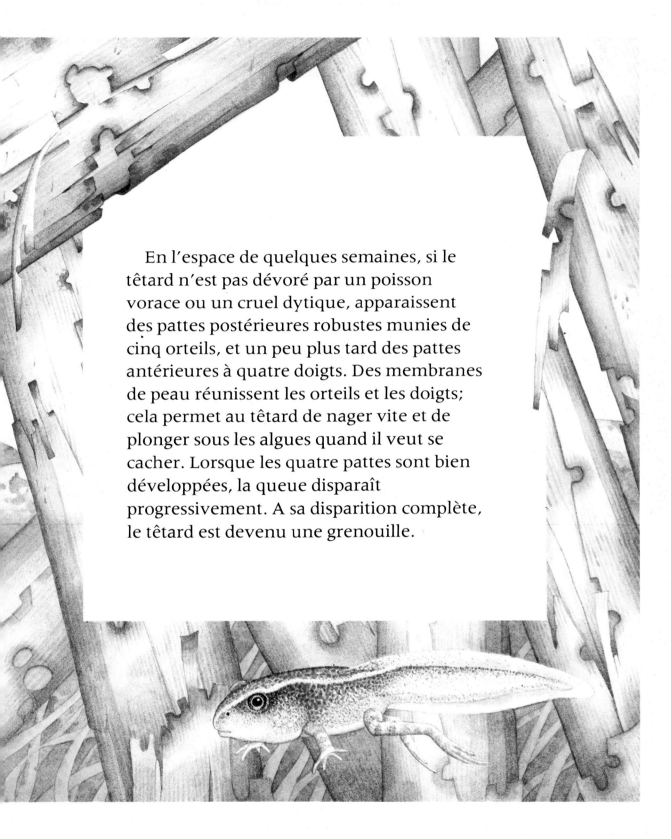

En l'espace de quelques semaines, si le têtard n'est pas dévoré par un poisson vorace ou un cruel dytique, apparaissent des pattes postérieures robustes munies de cinq orteils, et un peu plus tard des pattes antérieures à quatre doigts. Des membranes de peau réunissent les orteils et les doigts; cela permet au têtard de nager vite et de plonger sous les algues quand il veut se cacher. Lorsque les quatre pattes sont bien développées, la queue disparaît progressivement. A sa disparition complète, le têtard est devenu une grenouille.

C'est un grand changement, car maintenant les petites grenouilles peuvent quitter la mare, respirer l'air et vivre dans l'herbe et la boue. Elles sont aussi à l'aise à terre qu'elles l'étaient dans l'eau; elles se déplacent en sautant et en rampant avec autant de facilité qu'en nageant. Leurs pattes postérieures deviennent très fortes, et deux fois longues comme leur corps. Cela en fait de merveilleux sauteurs. Un saut rapide leur permet d'échapper à un danger; elles sont fort difficiles à attraper.

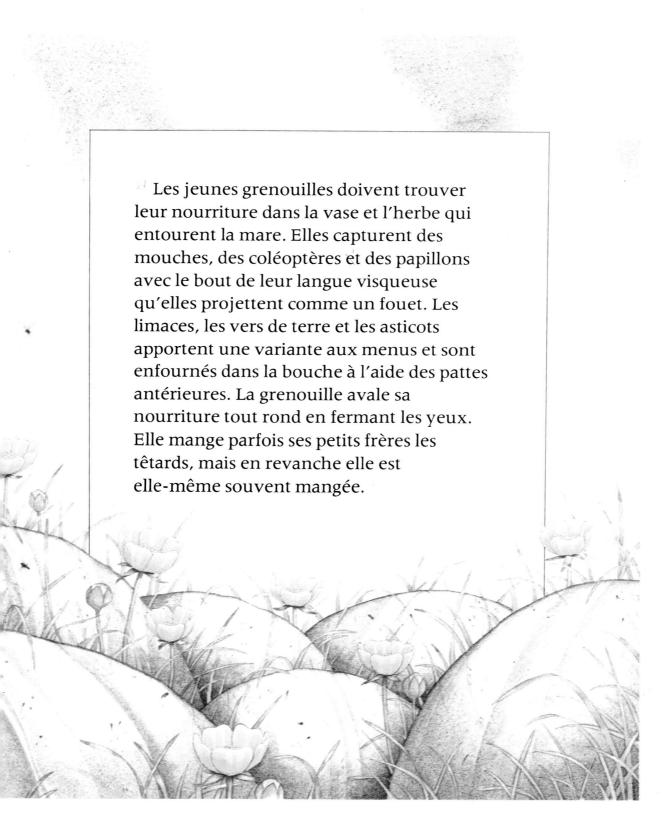

Les jeunes grenouilles doivent trouver leur nourriture dans la vase et l'herbe qui entourent la mare. Elles capturent des mouches, des coléoptères et des papillons avec le bout de leur langue visqueuse qu'elles projettent comme un fouet. Les limaces, les vers de terre et les asticots apportent une variante aux menus et sont enfournés dans la bouche à l'aide des pattes antérieures. La grenouille avale sa nourriture tout rond en fermant les yeux. Elle mange parfois ses petits frères les têtards, mais en revanche elle est elle-même souvent mangée.

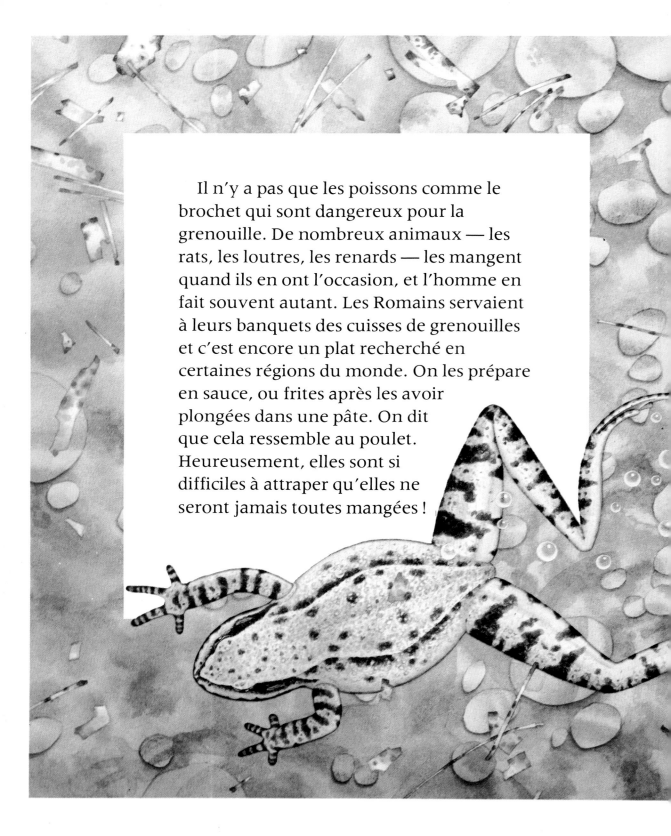

Il n'y a pas que les poissons comme le brochet qui sont dangereux pour la grenouille. De nombreux animaux — les rats, les loutres, les renards — les mangent quand ils en ont l'occasion, et l'homme en fait souvent autant. Les Romains servaient à leurs banquets des cuisses de grenouilles et c'est encore un plat recherché en certaines régions du monde. On les prépare en sauce, ou frites après les avoir plongées dans une pâte. On dit que cela ressemble au poulet. Heureusement, elles sont si difficiles à attraper qu'elles ne seront jamais toutes mangées !

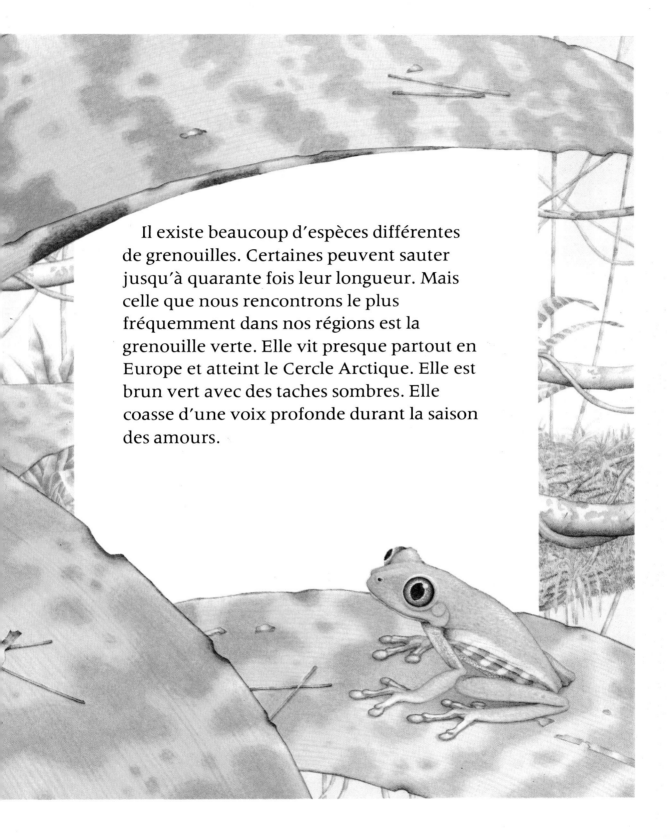

Il existe beaucoup d'espèces différentes de grenouilles. Certaines peuvent sauter jusqu'à quarante fois leur longueur. Mais celle que nous rencontrons le plus fréquemment dans nos régions est la grenouille verte. Elle vit presque partout en Europe et atteint le Cercle Arctique. Elle est brun vert avec des taches sombres. Elle coasse d'une voix profonde durant la saison des amours.

Au bout d'un peu plus d'un an, les jeunes grenouilles sont devenues adultes. Elles ont passé l'hiver endormies sous une pierre ou sous une vieille souche, en terrain humide, parfois très loin de leur mare d'origine. Au printemps, les mâles ressentent le besoin pressant de regagner l'eau. Ils parcourent souvent de longues distances, traversant en grands nombres routes et chemins. Beaucoup d'entre eux sont écrasés par les voitures. Ceux qui atteignent l'étang sains et saufs s'installent dans la boue ou dans l'eau peu profonde et se mettent à coasser sourdement.

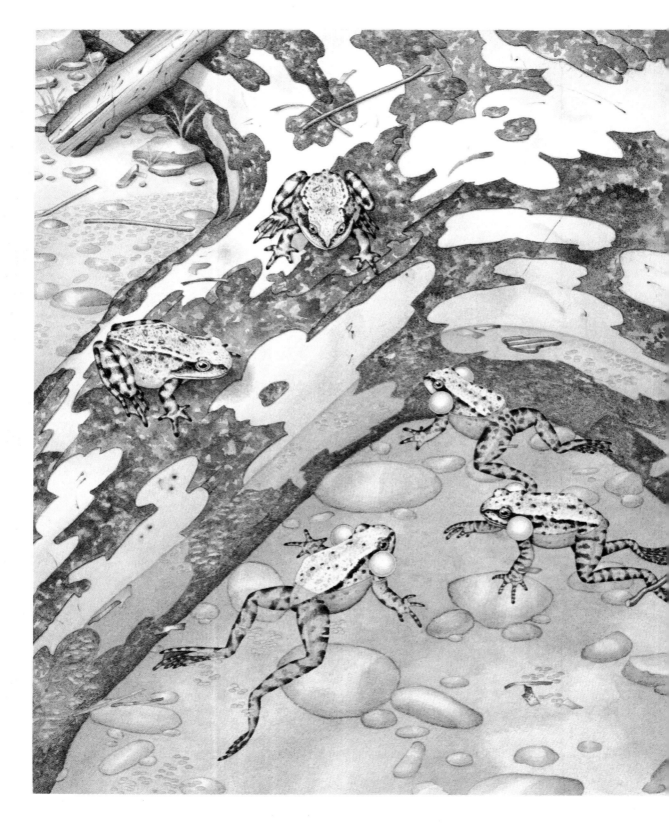

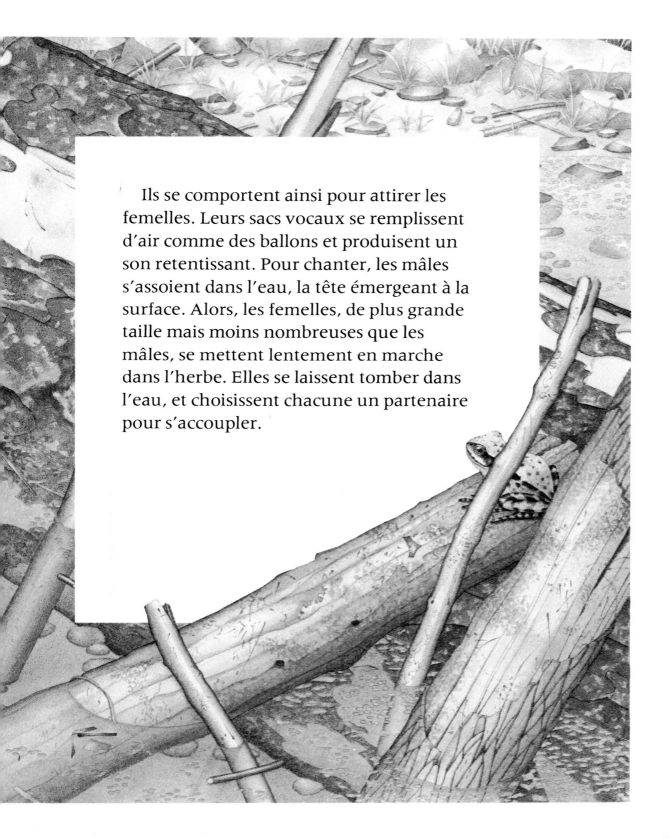

Ils se comportent ainsi pour attirer les femelles. Leurs sacs vocaux se remplissent d'air comme des ballons et produisent un son retentissant. Pour chanter, les mâles s'assoient dans l'eau, la tête émergeant à la surface. Alors, les femelles, de plus grande taille mais moins nombreuses que les mâles, se mettent lentement en marche dans l'herbe. Elles se laissent tomber dans l'eau, et choisissent chacune un partenaire pour s'accoupler.

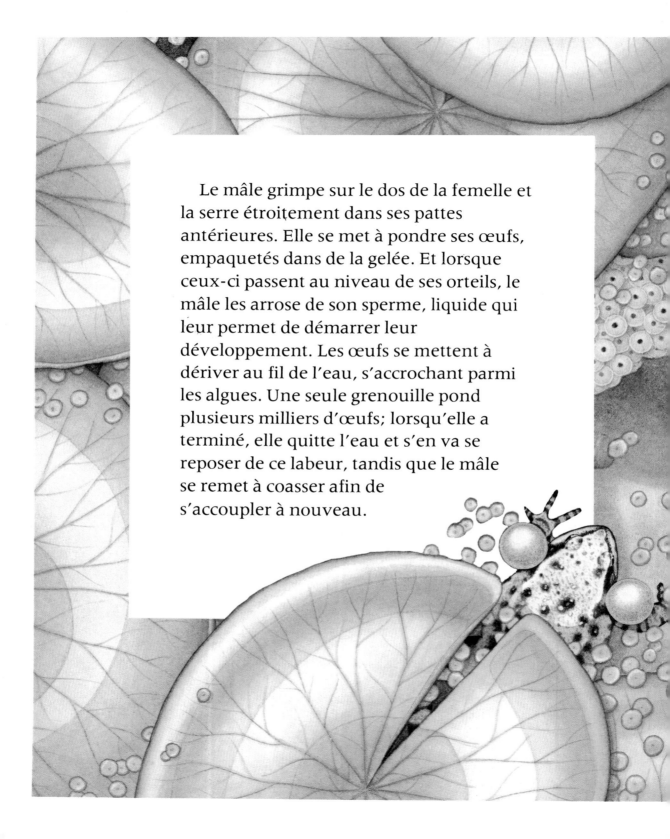

Le mâle grimpe sur le dos de la femelle et la serre étroitement dans ses pattes antérieures. Elle se met à pondre ses œufs, empaquetés dans de la gelée. Et lorsque ceux-ci passent au niveau de ses orteils, le mâle les arrose de son sperme, liquide qui leur permet de démarrer leur développement. Les œufs se mettent à dériver au fil de l'eau, s'accrochant parmi les algues. Une seule grenouille pond plusieurs milliers d'œufs; lorsqu'elle a terminé, elle quitte l'eau et s'en va se reposer de ce labeur, tandis que le mâle se remet à coasser afin de s'accoupler à nouveau.

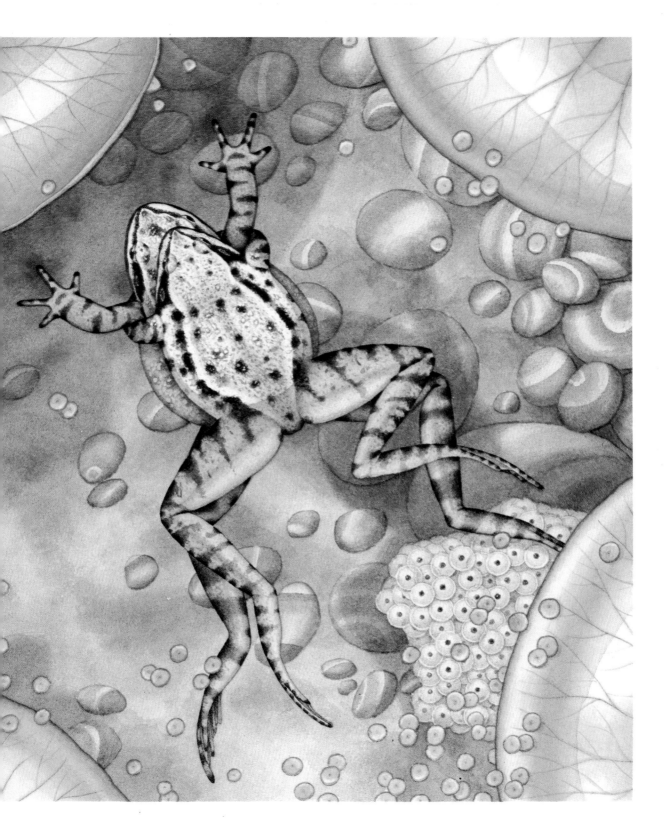

Les mâles restent dans l'eau jusqu'à ce que plus aucune femelle ne réponde à leurs appels. Alors ils quittent l'eau à leur tour et regagnent la prairie, à la recherche d'un repas. Les œufs sont abandonnés à eux-mêmes; ils s'accrochent aux algues et aux plantes aquatiques. Un grand nombre d'entre eux deviendront la nourriture de poissons et d'oiseaux.
En huit ou dix jours, les rescapés donneront une génération de têtards frétillants qui se débrouilleront par eux-mêmes.

La vie d'une grenouille n'est pas aussi facile de nos jours qu'elle l'était autrefois. Cet animal a toujours été la proie de l'homme et d'animaux divers. Et dans les temps anciens, les sorcières les tuaient pour manigancer leurs charmes magiques. Mais maintenant le monde de la grenouille est en train de changer : des insecticides sont déversés sur les champs, des mares sont asséchées, des routes sillonnent la campagne, des bois et des haies disparaissent des paysages.

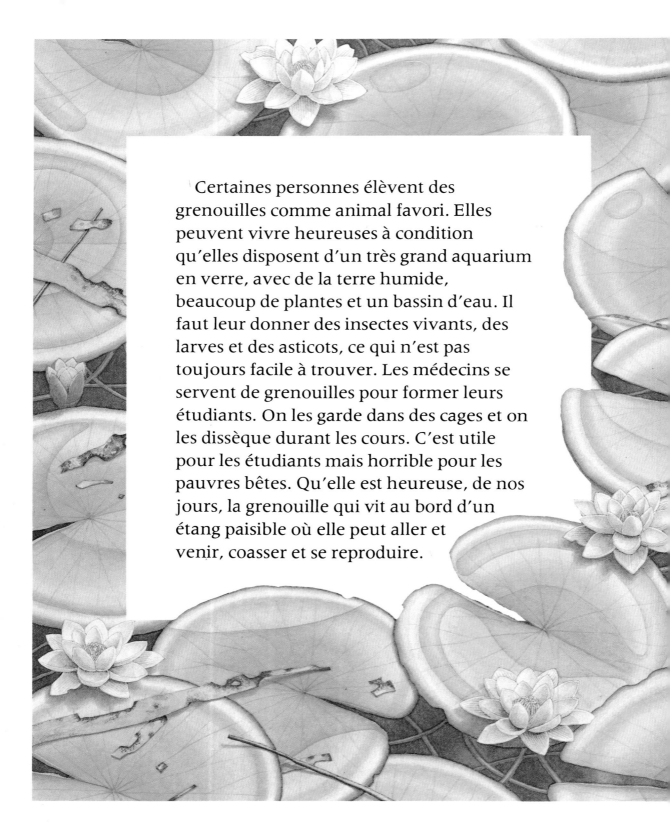

Certaines personnes élèvent des grenouilles comme animal favori. Elles peuvent vivre heureuses à condition qu'elles disposent d'un très grand aquarium en verre, avec de la terre humide, beaucoup de plantes et un bassin d'eau. Il faut leur donner des insectes vivants, des larves et des asticots, ce qui n'est pas toujours facile à trouver. Les médecins se servent de grenouilles pour former leurs étudiants. On les garde dans des cages et on les dissèque durant les cours. C'est utile pour les étudiants mais horrible pour les pauvres bêtes. Qu'elle est heureuse, de nos jours, la grenouille qui vit au bord d'un étang paisible où elle peut aller et venir, coasser et se reproduire.

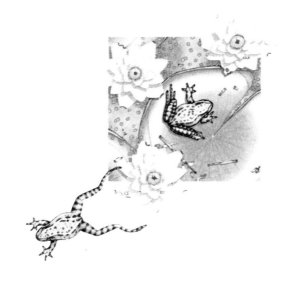

FEUILLET DE CIRCULATION
DATE DUE

02-60-3329 (79.08)